GÉOTHERMIE ET BIOÉNERGIE

IAN GRAHAM

GAMMA • ÉCOLE ACTIVE

LES ÉNERGIES EN QUESTIONS

L'énergie solaire
L'énergie nucléaire
Géothermie et bioénergie

© Wayland Publishers Limited, 1998,
titre original : *Geothermal and bio-energy*.
© Éditions Gamma, 60120 Bonneuil-les-Eaux, 1999,
pour l'édition française.
Dépôt légal : septembre 1999. Bibliothèque nationale.
ISBN 2-7130-1874-9.

Exclusivité au Canada :
Éditions École Active
2244, rue de Rouen, Montréal, Qué. H2K 1L5.
Dépôts légaux : 2ᵉ trimestre 1999.
Bibliothèque nationale du Québec,
Bibliothèque nationale du Canada.
ISBN 2-89069-599-9.

Loi n° 49-956 du 16 juillet 1949
sur les publications destinées à la jeunesse.

Imprimé en UE.

Crédits photographiques :
AEA Technology, Harwell : 11, 16, 17 (haut), 17 (bas), 23, 25, 27 (droite), 29.
Ecoscene : 1 et 12 (Nichol), 4 (Gryniewicz), 7 (Ayres), 9 (Alan Brown), 10 (Sally Morgan), 10-11 (John Corbett), 27 (gauche) (Ford), 28 (gauche) (Platt), 28 (droite) (Gryniewicz), 31 (Jim Winkley), 33 (Jim Winkley), 35 (Jim Winkley), 36 (Kevin King), 40 (Joel Creed), 41 (Sally Morgan), 42 (Moore), James Davis Travel Photography : couverture, 5, 19, 30 (gauche), 30 (droit). Eye Ubiquitous : 14 (David Cumming), 24 (Dean Bennett), 34 (L. Johnstone). Olë Steen Hansen : 6, 32. Mary Evans Picture Library : 15. Oxford Scientific Films : 18 (Richard Packwood), 43 (T. Middleton). U.S. Department of Energy : 20, 23 (bas), 38, 39 (gauche), 39 (droite).

SOMMAIRE

DEUX TYPES D'ÉNERGIE DIFFÉRENTS

Des broussailles s'enflamment au contact de la roche chaude dans le Parc National de Timanfaya, sur l'île volcanique de Lanzarote, dans les îles Canaries, en Espagne. Dans ce type d'endroits, le magma (roche en fusion) est très proche de la surface de la Terre.

Qu'est-ce que l'énergie géothermique ?

L'énergie géothermique est la chaleur issue des profondeurs de la Terre. Cette chaleur peut servir à produire de l'électricité appelée électricité géothermique.

Sous terre, un volume d'environ 520 km^3 de roche, (la taille d'une montagne moyenne) a une température de plusieurs centaines de fois celle de la surface et contient une quantité d'énergie égale à la consommation mondiale d'une année. Mais pour être utile, cette énergie thermique doit être transformée, en électricité par exemple, afin de pouvoir être transportée selon les besoins. Les centrales géothermiques utilisent l'énergie géothermique pour fabriquer de l'électricité.

L'énergie géothermique dans le monde

Aujourd'hui, quelques vingt-cinq pays utilisent l'énergie géothermique. Les États-Unis sont le premier consommateur, avec une capacité de production d'environ 3000 mégawatts. Ensuite, viennent les Philippines, qui produisent 1200 mégawatts, à peu près un cinquième de la totalité de sa production électrique.

Parmi les autres utilisateurs, on compte la Nouvelle-Zélande, la Russie, le Mexique, l'Italie, le Japon, l'Indonésie, le Costa Rica, le Salvador et la Turquie. La production mondiale des stations géothermiques est d'environ 7000 mégawatts, soit 0,15 % de la production mondiale d'électricité. Celle-ci est obtenue en brûlant des combustibles fossiles (charbon, pétrole et gaz naturel) dans des centrales, ou par des usines hydroélectriques.

Dans la centrale géothermique de Svartsengi, en Islande, la vapeur
s'échappe des cheminées de la salle des turbines et les gens
se baignent dans l'eau chaude du « Lagon Bleu », voisin de la centrale.
L'eau, transformée en vapeur par les roches souterraines chaudes,
actionne des turbines reliées à des générateurs qui produisent
l'électricité. La vapeur se condense et l'eau se déverse dans le lagon.

EN SAVOIR PLUS

Les scientifiques mesurent
l'énergie électrique en joules.
La puissance est la quantité
d'énergie transférée par
seconde. Elle se mesure en
joule par seconde ou watt. La
consommation d'énergie se
mesure en wattheure. Un
wattheure correspond à la
consommation d'un joule par
seconde pendant une heure.
Un kilowattheure correspond à
la consommation de 1000
watts en une heure, un
mégawattheure, correspond à
la consommation d'un million
de watts en une heure, un
gigawattheure à 1 milliard
de watts.

Qu'est-ce que la bioénergie ?

Bioénergie est un mot nouveau qui désigne l'énergie produite par la biomasse, l'ensemble des plantes et des animaux. Les végétaux sont une importante source d'énergie. Par la production de graines qui donnent naissance à de nouvelles plantes, ils se renouvellent sans cesse. Il pousse chaque année suffisamment de plantes pour satisfaire huit fois les besoins énergétiques du monde. Mais, pour l'instant, nous n'utilisons que 7 % de la production annuelle de végétaux.

Les plantes vertes incluent les fougères, les conifères et toutes les plantes à fleurs. Toutes fabriquent leur propre nourriture en utilisant la lumière du Soleil, l'eau du sol et le dioxyde de carbone de l'air.

La biomasse est une matière première vitale dans le Tiers-Monde. Les matières végétales peuvent être brûlées pour s'éclairer, se chauffer ou cuisiner, tissées pour fabriquer des vêtements et des cordes ou encore façonnées pour fabriquer des manches ou poignées d'outils ou d'armes. C'est également un matériau de construction essentiel.

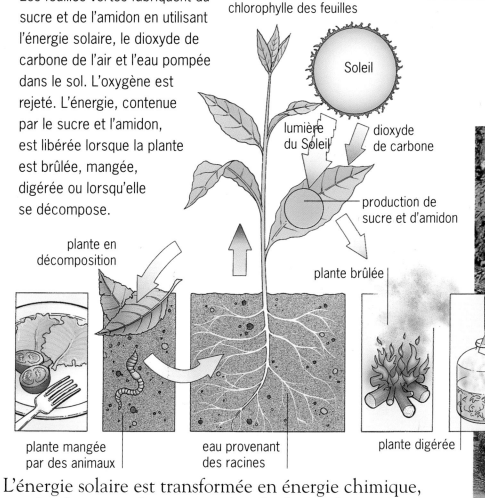

Les feuilles vertes fabriquent du sucre et de l'amidon en utilisant l'énergie solaire, le dioxyde de carbone de l'air et l'eau pompée dans le sol. L'oxygène est rejeté. L'énergie, contenue par le sucre et l'amidon, est libérée lorsque la plante est brûlée, mangée, digérée ou lorsqu'elle se décompose.

chlorophylle des feuilles

Soleil

lumière du Soleil

dioxyde de carbone

production de sucre et d'amidon

plante en décomposition

plante brûlée

plante mangée par des animaux

eau provenant des racines

plante digérée

L'énergie solaire est transformée en énergie chimique, que la plante stocke ensuite sous la forme de composants carbonés nécessaires pour sa croissance. Ce processus s'appelle la photosynthèse. L'énergie contenue dans les composés carbonés, tels les sucres, peut être libérée et utilisée lorsqu'on les décompose.

L'électricité provenant de la biomasse

L'énergie issue de la biomasse peut être convertie en d'autres formes d'énergie, en particulier chaleur et électricité. Environ 4 % de l'électricité produite aux États-Unis proviennent de la biomasse, soit à peu près la même quantité que celle produite par les centrales nucléaires ou hydroélectriques. La Suède et le Canada satisfont environ 8 % de leurs besoins énergétiques respectifs grâce à la biomasse.

La mer produit une importante quantité d'algues. Mais, alors que les algues sont souvent mangées ou utilisées comme engrais pour améliorer les récoltes, elles ont été jusqu'à présent peu utilisées dans les centrales bioénergétiques pour produire de l'électricité.

LA GÉOTHERMIE ET LA BIOÉNERGIE

D'où vient l'énergie géothermique ?

Le noyau de la Terre est composé d'un noyau interne de métal solide d'un diamètre de 2300 km environ et d'un noyau externe de métal fluide d'une épaisseur identique. L'ensemble est entouré par le manteau, épais de 3000 km, qui a la consistance du caramel fondu. Enfin, ce manteau est recouvert d'une fine couche solide d'une épaisseur de 10 à 80 km. Cette croûte est plus épaisse sous les continents que sous les océans.

Le mot géothermie vient des mots grecs *géo* (Terre) et *therme* (chaleur). Le centre de la Terre, le noyau, est une boule de métal solide (fer et nickel) dont la température est d'environ 4200 °C. Il est si chaud qu'il fait fondre les roches qui l'entourent.

La plus grande partie de l'énergie qui chauffe le noyau à une température si élevée provient de réactions nucléaires qui se produisent à cet endroit. Fort heureusement pour nous, la surface de la Terre est bien plus froide que son noyau. Nous vivons sur une croûte rocheuse froide flottant sur une masse extrêmement chaude, le manteau.

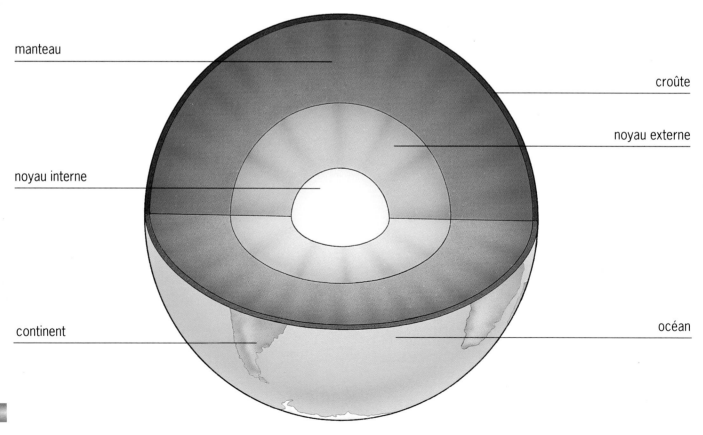

manteau

croûte

noyau externe

noyau interne

continent

océan

La chaleur géothermique

Du centre de la Terre vers la surface, la chaleur perd 30 °C à chaque kilomètre parcouru. Quand la chaleur atteint enfin la surface, elle se dissipe dans l'atmosphère et finit par se perdre dans l'espace. Normalement nous ne remarquons pas la chaleur géothermique, parce que la chaleur du Soleil à la surface de la Terre est plus importante que celle issue du centre.

Tenerife, l'une des îles Canaries espagnoles, est formée de cendres volcaniques et de lave. Le pic enneigé, à l'arrière-plan est le mont Teidi. Ce type de roches, formées par la chaleur, s'appelle roche éruptive.

Des lichens couvrent le tronc
d'un pin rouge géant,
en Californie, aux États-Unis.
On trouve des lichens
plus au nord, plus au sud
et à de plus hautes altitudes
que les autres plantes.
Ils poussent en montagne
jusqu'à 6000 mètres.
Les autochtones l'utilisent
comme combustible.

Les forêts et les herbages s'étendent à perte de vue en Laponie, en Suède. Même dans ces climats nordiques froids, la végétation pousse partout. Toute cette biomasse pourrait être utilisée comme biocombustible, en le brûlant ou en le traitant chimiquement pour en faire du gaz ou du pétrole.

D'où viennent les combustibles biologiques ?

Les combustibles biologiques sont fabriqués à partir de la biomasse. Ils sont brûlés ou traités avec des produits chimiques ou des micro-organismes pour libérer l'énergie qu'ils ont emmagasinée. La biomasse comprend toutes les matières végétales, les arbres des forêts, les buissons, les herbes, la tourbe des marécages, les algues des océans et les mousses et lichens de la toundra polaire. Elle inclut même le fumier animal, riche en végétaux non digérés.

Les combustibles de la nature

Les combustibles naturels se développent partout autour de nous. Les pôles glacés et les déserts torrides ont très peu de végétation, mais le reste de la planète est riche d'une flore dense et variée. Les forêts couvrent le Canada, de la côte Atlantique à la côte Pacifique, et l'Europe, de la Scandinavie au fin fond de la Russie. La forêt vierge amazonienne recouvre une grande partie de l'Amérique du Sud. Les algues abondent sur les hauts-fonds fertiles qui bordent les côtes des continents. Des jungles luxuriantes se développent dans les régions tropicales grâce à des pluies abondantes. Les arbres, les buissons, les herbes et d'autres plantes recouvrent la plus grande partie de la campagne dans les pays aux climats tempérés.

En Écosse, les pins sont utilisés comme combustible. L'écorce, les copeaux et la sciure sont brûlés pour produire de l'électricité.

Comment l'énergie géothermique nous affecte-t-elle ?

Le monde qui nous entoure semble ne pas changer.
En réalité, il se modifie extrêmement lentement par
l'action de l'énergie géothermique. Elle est à l'origine
de la dérive des continents qui crée les chaînes de
montagnes, les fosses d'effondrement et les bassins
océaniques. Les effets sont en général très progressifs et
il faut des millions d'années pour voir une différence
réelle. Mais l'énergie géothermique est parfois violente
et soudaine, et se manifeste par des tremblements de
terre et des éruptions volcaniques.

Les volcans

Quand un volcan entre en éruption, il projette dans
les airs des roches, de la poussière et des cendres.
Le magma, qui atteint la surface, s'écoule en rivières
de lave calcinant tout sur son passage. Des gaz et
des poussières projetés à haute température forment
des nuées ardentes.

EN SAVOIR PLUS

Il y a environ 850 volcans en activité dans le monde. La plupart d'entre eux sont situés autour de l'Océan Pacifique, dans une région baptisée la Ceinture de Feu.

Des rivières de lave incandescente éclairent le ciel nocturne de Hawaii (États-Unis). Les îles hawaiiennes furent formées par des volcans qui s'élevèrent du fond de l'océan jusqu'à la surface de la mer. De nos jours, Mauna Loa et Kilauea sont les seuls volcans en activité à Hawaii.

Si le sommet du volcan est enneigé, la neige mélangée au magma brûlant peut se mêler aux cendres et former des coulées de boue mortelles qui peuvent ensevelir des villes entières. Les éruptions volcaniques libèrent d'énormes quantités d'énergie, mais leur extrême violence et leur rareté rendent impossible son exploitation.

Les volcans en forme de cône entrent régulièrement en éruption. La lave s'écoule sur les flancs et élève progressivement la hauteur du cône. D'autres types de volcans tels que les volcans boucliers sont moins hauts et plus plats.

bombe volcanique

cratère

cheminée

cendres

cône adventif

couches de lave formées lors de précédentes éruptions

couche de cendre

couche rocheuse

chambre magmatique

LA GÉOTHERMIE ET LA BIOÉNERGIE À TRAVERS L'HISTOIRE

L'exploitation de la bioénergie

L'homme se chauffe et cuisine au feu de bois depuis des milliers d'années. C'est encore le cas dans quelques pays en voie de développement. Dans les pays développés, les déchets ménagers sont brûlés dans des incinérateurs afin de produire de l'électricité. Le gaz produit naturellement par la biomasse en décomposition a aussi été utilisé comme combustible. En 1857, du gaz méthane produit par la décomposition de la biomasse était déjà utilisé comme combustible dans une colonie de lépreux de Bombay, en Inde.

Au Rajasthan, dans le nord-ouest de l'Inde, une famille se presse autour d'un feu pour se chauffer. Le bois est encore aujourd'hui le combustible le plus utilisé par des millions de personnes.

L'histoire de la géothermie

Les Romains construisirent de nombreux thermes d'eau chaude à travers leur empire. Ils pensaient que les eaux chaudes et riches en minéraux étaient bonnes pour la santé.

Et c'est en 1903, à Larderello, en Italie, sur le site de thermes antiques que fut construite la première centrale géothermique du monde. La production d'électricité débuta l'année suivante. Aujourd'hui, la centrale de Larderello produit 390 mégawatts, ce qui est suffisant pour alimenter en électricité un petit village.

Au XVIIIᵉ siècle, les membres de la bonne société de la ville allemande de Leuk prenaient les eaux. Habillés de pied en cap, ils passaient des heures dans l'eau de source chaude, lisant des journaux ou des livres, ou jouant aux échecs sur des échiquiers flottants. Certains visitaient les bains pour inhaler les vapeurs émanant de l'eau.

Qu'est-ce que la tourbe ?

Les briquettes de tourbe et la tourbe broyée comptent parmi les produits fabriqués par le *Bord Na Mona Peat Development Authority* (Agence pour le Développement de la Tourbe) de la République d'Irlande. La plus grande partie de la tourbe broyée est utilisée dans des centrales électriques qui la brûlent et alimentent ainsi le pays en électricité. Les briquettes sont utilisées pour chauffer maisons, bureaux et usines.

La tourbe est formée par la décomposition partielle de plantes dans des marécages appelés tourbières. Les mousses poussant à la surface meurent, s'enfoncent dans le sol et sont recouvertes et compressées par de nouvelles plantes qui poussent sur elles. En raison du peu d'oxygène, les bactéries ne peuvent décomposer entièrement les plantes mortes. Les restes, qui sont riches en carbone, forment la tourbe.

Au bout de plusieurs millions d'années, la tourbe se transforme en charbon. Les tourbières peuvent avoir plusieurs mètres de profondeur et se trouvent partout dans le monde. Elles couvrent un tiers de la Finlande et un dixième de l'Irlande.

Un contrôleur vérifie les mottes de tourbe découpées à la main. La tourbe a aussi été utilisée comme couchage, matériau de construction et engrais. Récemment, elle a été employée pour nettoyer les conséquences de marées noires, grâce à son pouvoir d'absorption.

La tourbe comme combustible

Depuis l'époque romaine, la tourbe chauffe les maisons. Elle est encore très utilisée dans les régions pauvres en combustible. En Finlande, les villes de l'intérieur du pays sont alimentées par des centrales électriques fonctionnant avec de la tourbe. En République d'Irlande, la tourbe fournit l'énergie nécessaire à la production d'un cinquième de l'électricité du pays. La première centrale russe alimentée par de la tourbe date de 1914. Mais les États-Unis n'ont ouvert leur première centrale produisant de l'électricité à partir de la tourbe qu'en 1990. Elle fournit aujourd'hui 22,8 mégawattheures.

EN SAVOIR PLUS

En raison des conditions d'humidité et d'acidité qui règnent dans les tourbières, l'activité biologique y est très lente. Des animaux, qui y sont tombés il y a des centaines voire des milliers d'années, sont retrouvés aujourd'hui dans un état de conservation presque parfait. Plusieurs centaines de corps humains ont également été trouvés dans des tourbières, partout en Europe, et certains d'entre eux ont plus de deux mille ans.

La tourbe est ramassée à l'aide de machines, découpée en briquettes et laissée sécher. Autrefois, elle était ramassée à la main. Les briquettes séchées peuvent être utilisées comme combustible.

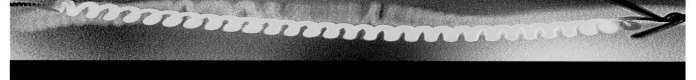

LES TECHNOLOGIES DE LA GÉOTHERMIE ET DE LA BIOÉNERGIE

Les sources chaudes

Des forages permettent d'atteindre des roches chaudes se trouvant à quelques kilomètres de la surface. L'eau souterraine qui passe dans les fissures de ces roches est chauffée jusqu'à une température de 150 °C ou même plus. Cette eau chaude peut être extraite et l'énergie thermique utilisée pour produire de l'électricité.

En Islande, près du lac Myvatn, l'eau et la boue chauffées par des roches souterraines forment des mares.

De l'eau sous pression est envoyée d'une centrale géothermique dans la roche chaude. La pression fait pénétrer l'eau dans les fissures jusqu'à ce qu'elle atteigne le puits d'extraction et soit pompée vers la surface.

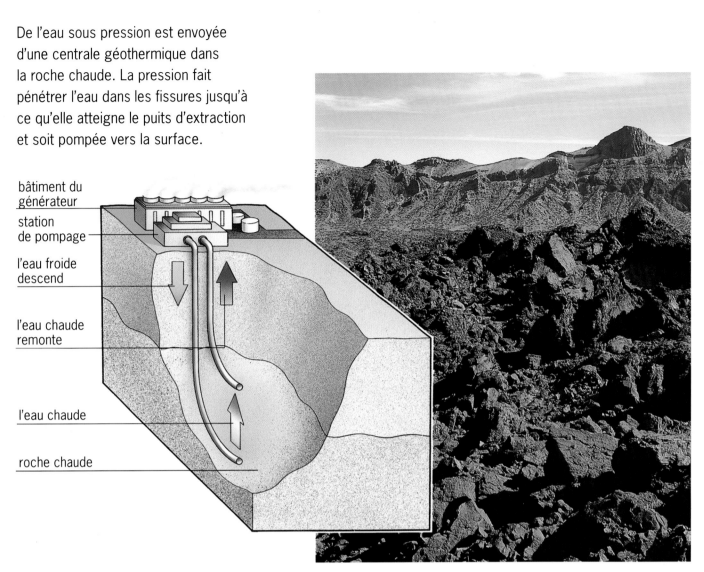

bâtiment du générateur
station de pompage
l'eau froide descend
l'eau chaude remonte
l'eau chaude
roche chaude

Les sources chaudes artificielles

Si les roches souterraines ne contiennent pas d'eau, il est possible de créer une source chaude artificielle. On fore deux trous à quelque distance l'un de l'autre. Puis de l'eau froide est envoyée dans le premier trou et pompée sous forme d'eau chaude ou de vapeur par le second trou. Sous terre, l'eau circule entre les deux trous et absorbe en chemin la chaleur de la roche.

Quand cela est nécessaire, l'emploi d'explosifs permet de fissurer la roche afin de laisser passer l'eau. L'eau est parfois assez chaude pour se vaporiser. Quand elle atteint la surface, cette vapeur est captée puis condensée pour obtenir de l'eau. Enfin, cette eau est renvoyée sous terre.

Sur l'île espagnole de Tenerife, les champs de lave à l'aspect lunaire montrent qu'autrefois un volcan est entré en éruption ici. Mais aujourd'hui, le magma s'est sans doute retiré à une trop grande profondeur pour que l'exploitation de l'énergie géothermique soit rentable.

À la suite du succès des recherches sur l'énergie géothermique à Los Alamos, la *centrale des Geysers*, en Californie, se développa et devint un producteur commercial d'électricité.

Le laboratoire national de Los Alamos

En 1986, deux puits expérimentaux de quatre kilomètres de profondeur furent forés au laboratoire national de Los Alamos, au Nouveau-Mexique (États-Unis). On injectait de l'eau dans l'un des puits pour remplir une cavité naturelle où elle était chauffée par la chaleur de la Terre.

La pression dans la cavité faisait remonter l'eau par le second puits, le puits d'extraction ou de production. Pour empêcher l'eau de remonter trop vite, l'extrémité du puits de production était placée plus haut que celle du puits d'injection. L'eau atteignait donc le puits de production après avoir été bien chauffée dans la cavité.

Des mégawatts produits par la chaleur

Quand l'eau atteignait la surface, sa température s'élevait à 190 °C. Elle passait ensuite dans un appareil appelé échangeur de chaleur et destiné à recueillir l'énergie thermique. La chaleur était ensuite transformée en électricité et l'eau refroidie renvoyée dans le sol. L'énergie thermique captée dans l'eau était convertie en quatre mégawatts d'électricité.

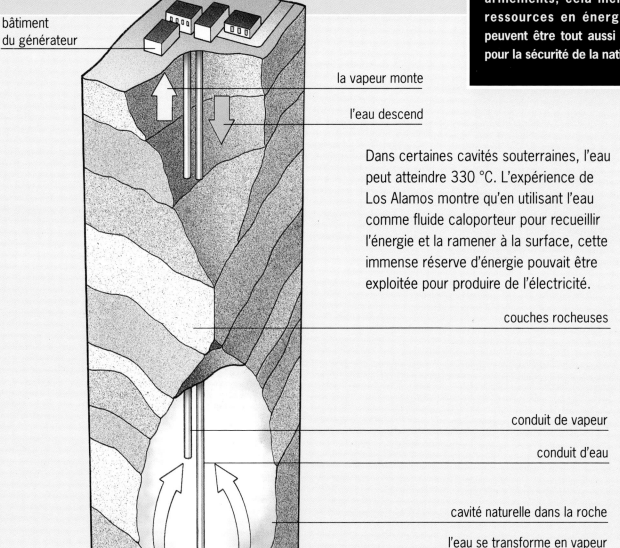

bâtiment du générateur

la vapeur monte

l'eau descend

Dans certaines cavités souterraines, l'eau peut atteindre 330 °C. L'expérience de Los Alamos montre qu'en utilisant l'eau comme fluide caloporteur pour recueillir l'énergie et la ramener à la surface, cette immense réserve d'énergie pouvait être exploitée pour produire de l'électricité.

couches rocheuses

conduit de vapeur

conduit d'eau

cavité naturelle dans la roche

l'eau se transforme en vapeur

Brûler et enterrer la biomasse

Dans les pays, tel le Canada, où le bois est abondant, des cuisinières et des chaudières à bois sont souvent utilisées pour la cuisine et le chauffage. Dans les scieries, les déchets de bois sont brûlés et la chaleur est utilisée pour sécher le bois avant qu'il ne soit découpé. Dans les fabriques de papier, la chaleur produite par l'incinération des déchets est utilisée pour générer de l'électricité. Les ordures ménagères sont composées en grande partie de biomasse qui est traditionnellement enterrée dans des décharges. Mais la quantité de déchets produits par les pays développés a considérablement augmenté. Trouver des sites pour les enterrer est devenu un problème.

Le recyclage et l'incinération

On a énormément réduit les ordures ménagères devant être enterrées en recyclant les matériaux et en brûlant les déchets dans des incinérateurs. Un incinérateur fonctionne à haute température et produit beaucoup d'énergie. La température élevée neutralise aussi les gaz libérés. Pour s'assurer que la biomasse brûle bien, de l'air est pompé à travers un lit de sable placé au fond de l'incinérateur, afin d'alimenter le feu en oxygène.

On verse les déchets de bois provenant d'une scierie dans une chaudière. La chaleur dégagée transforme l'eau en vapeur qui actionne une turbine et un générateur d'électricité. Puis la vapeur est condensée en eau et renvoyée dans la chaudière. En chemin, elle est utilisée pour chauffer la scierie et sécher les copeaux de bois. Ceux-ci sont compressés en bûches artificielles destinées à la vente.

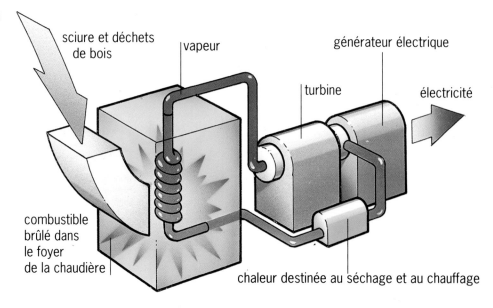

sciure et déchets de bois

vapeur

générateur électrique

turbine

électricité

combustible brûlé dans le foyer de la chaudière

chaleur destinée au séchage et au chauffage

Ci-dessus, on brûle de la paille dans un incinérateur pour produire de la chaleur. La paille est composée des tiges séchées de plantes telles que le blé, l'avoine et l'orge.

En Californie (États-Unis), cette centrale brûle du bois et des déchets agricoles pour produire de l'électricité. La chaleur transforme l'eau en vapeur qui actionne des turbogénérateurs produisant l'électricité.

Les bactéries, source d'énergie

On laisse parfois les matières organiques se décomposer et être digérées par des bactéries. Les Indiens et les Chinois recueillent souvent le fumier animal et le mettent dans des réservoirs. Il se décompose sous l'effet de bactéries et libère du gaz qui est utilisé pour la cuisine, le chauffage et même pour alimenter des générateurs.

Les bactéries responsables de cette décomposition sont anaérobies : elles se développent dans les milieux où il y a peu ou pas d'oxygène. Ces bactéries sont la cause des lueurs mystérieuses, appelées feux follets, qui apparaissent parfois au-dessus des marécages : les gaz de décomposition font des bulles à la surface et s'enflamment.

Des bœufs tirent une charrue dans une rizière, à Bali, en Indonésie. Dans de grandes parties de l'Afrique, de l'Asie et de l'Extrême-Orient, les animaux élevés pour la nourriture et les travaux de la ferme produisent de grosses quantités de déchets qui peuvent être séchés et brûlés comme combustible.

Les déjections quotidiennes d'un poulet produisent environ 14 litres de biogaz par jour. Les déjections d'un être humain produiraient le double, soit environ 28 litres de gaz. Une vache en produirait 225 litres et un porc 255 litres environ.

Le biogaz

Une ferme pourrait totalement être alimentée en énergie avec le gaz produit par les déchets de 800 porcs ou de 900 bovins. Les déchets humains peuvent aussi donner un gaz combustible. Le méthane provenant des égouts permet au Royaume-Uni de produire 33 mégawatts d'électricité, environ 2 % des besoins totaux du pays. Le méthane provenant des ordures ménagères produit 80 mégawatts et l'incinération de ces ordures encore 130 mégawatts.

À droite, un technicien vérifie la pression d'une installation de production de méthane. Le gaz est produit par des bactéries présentes dans un réseau d'égouts.

Un digesteur à méthane est un grand réservoir. Les déchets animaux versés dans ce réservoir sont transformés par les bactéries en sucres et acides plus simples, puis en gaz qui peut être brûlé comme combustible.

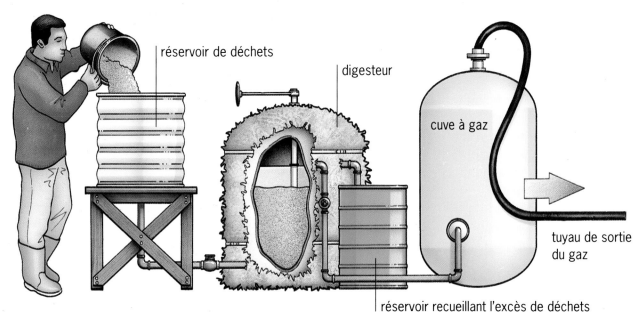

réservoir de déchets

digesteur

cuve à gaz

tuyau de sortie du gaz

réservoir recueillant l'excès de déchets

L'impact des bioénergies sur l'environnement

L'utilisation du bois et de la tourbe comme combustibles entraîne la disparition des forêts et des tourbières. Les tourbières mettent des millions d'années à se former et elles sont définitivement épuisées par le prélèvement de la tourbe. Les arbres sont renouvelés en replantant des espèces à croissance rapide, mais l'homme se contente souvent d'aller chercher du bois un peu plus loin.

La déforestation est trop importante dans de nombreuses parties du monde, en particulier en Afrique centrale et australe, sur la côte ouest de l'Amérique du Sud, au Népal et dans le nord de l'Inde. L'abattage des arbres contribue à la destruction des sols érodés alors par la pluie et le vent, car il n'y a plus de racine pour retenir la terre.

Dans le Tiers-Monde, le bois est le combustible le plus utilisé pour la cuisine et le chauffage. Les besoins croissent avec les populations, mais il n'y a pas toujours assez de bois pour les satisfaire. Cette carte met en évidence l'étendue de cette pénurie.

Amérique du Nord

Europe

Afrique

Asie

Amérique du Sud

Australasie

☐ manque de bois

☐ bois rare

☐ désert

Le réchauffement de la planète

La biomasse contient du carbone et, en brûlant, elle le libère dans l'atmosphère sous forme de dioxyde de carbone. Des scientifiques pensent que ce gaz, contribuant à un effet de serre, est responsable du réchauffement de la planète. Cependant, brûler la biomasse nuit moins à l'environnement que de brûler les combustibles fossiles (charbon et pétrole), car cela ne fait que recycler le dioxyde de carbone présent aujourd'hui au lieu de libérer du dioxyde prisonnier depuis des millions d'années.

Le ramassage du bois dans l'état de Kerala, dans le sud de l'Inde. Dans de nombreuses parties du Tiers-Monde, trouver du bois pour alimenter le feu devient un problème quotidien.

Ci-dessous, des sacs d'ordures ménagères sont enterrés dans une décharge. Ils seront recouverts de terre et le gaz produit par la décomposition de la biomasse sera utilisé comme combustible.

27

Ci-dessus, l'eau chaude naturelle, provenant directement d'une source ou déjà utilisée dans une centrale géothermique, permet de chauffer une serre.

Ci-dessus à droite, de la vapeur s'élève des condenseurs et des pipelines de la centrale géothermique d'Olkaria, près de Naivasha, au Kenya.

EN SAVOIR PLUS

À Hawaii (États-Unis), une centrale géothermique de 30 mégawatts réduit les importations de pétrole de l'île de 79,5 millions de litres par an. La baisse de consommation de pétrole réduit aussi les émissions de dioxyde de carbone de 220 000 tonnes. Le pétrole étant transporté par mer, les risques de marée noire sont alors plus faibles.

L'énergie géothermique et l'environnement

Les centrales géothermiques sont plus respectueuses de l'environnement que les autres. Elles utilisent une énergie renouvelable et produisent peu de gaz et de déchets dangereux. Les centrales géothermiques libèrent aussi moins d'oxyde d'azote qui forme l'ozone. L'ozone est indispensable dans l'atmosphère, à haute altitude, car il nous protège de la nocivité des rayons ultraviolets du Soleil, mais au niveau du sol c'est un gaz polluant.

Les inconvénients de l'énergie géothermique

Certains sont préoccupés par les quantités d'eau prélevées dans le sol. L'eau utilisée par les centrales géothermiques doit être réinjectée sous terre afin d'éviter l'épuisement de la nappe phréatique. Cette nappe phréatique correspond au niveau d'eau naturellement présente dans le sol ; si ce niveau chute, le sol peut se contracter et s'effondrer.

De plus, les gaz souterrains libérés dans l'air peuvent être nauséabonds et produire un bruit excessif. Le bruit provoqué par la libération de la vapeur et des gaz contenus dans des réservoirs sous pression avant leur nettoyage a été comparé à celui du décollage d'un avion à réaction.

Du gaz méthane provenant d'une décharge brûle avec une flamme bleu clair. Contrairement au charbon, le méthane brûle sans émettre de gaz nocifs ou de particules polluantes.

Ci-dessus, à Gullbringu, dans la péninsule de Reykjanes, en Islande, de la boue bouillonne comme une soupe grise. Les mares de boue chaude sont communes dans les régions à riche activité volcanique.

Quand les Romains, au Ier siècle avant Jésus-Christ, découvrirent en Angleterre des sources chaudes naturelles, ils construisirent des thermes près du site. La ville qui grandit autour d'eux fut appelée *Aquae Sulis*. Elle fut connue plus tard sous le nom de Bath.

Les sources chaudes

Les sources chaudes apparaissent quand de l'eau chauffée par des roches souterraines chaudes ou par l'activité volcanique parvient à la surface. Elles sont nombreuses en Islande, en Nouvelle-Zélande et dans d'autres régions volcaniques du monde telles que les parcs nationaux de Yellowstone et des Hot Springs (sources chaudes) aux États-Unis.

Dans certaines régions volcaniques, des particules de roche pulvérisées se mélangent à l'eau chaude des sources et sont à l'origine de mares de boue chaude, également appelées volcans de boue.

Les sources chaudes

Certains quartiers de Reykjavik, la capitale de l'Islande, sont chauffés par de l'eau captée dans des sources chaudes. Les sources chaudes de Baden-Baden, en Allemagne, furent exploitées par les Romains et sont utilisées en bain ou en boisson depuis 2000 ans. Les Romains pensaient que l'eau chaude naturelle avait la capacité de soulager ou de guérir certains maux. Ils construisirent non seulement des thermes, mais ils les chauffèrent en y faisant circuler dans des conduits de la vapeur chaude provenant des sources.

EN SAVOIR PLUS

En 1883, des ouvriers qui construisaient la ligne de chemin de fer du Canadian Pacific virent de la fumée s'échapper du sol. Ils constatèrent qu'il s'agissait de vapeur provenant de sources chaudes naturelles. Ces sources attirèrent des visiteurs. On construisit un hôtel autour duquel se développa la ville de Banff. Ce fut la première exploitation de la géothermie au Canada ; ce site devint le premier parc national canadien.

Dans le parc national de *Yellowstone*, dans le Wyoming aux États-Unis, les eaux très riches en minéraux des *Mammoth Springs* s'écoulent lentement et ont sculpté dans la roche de larges terrasses qui atteignent 90 mètres de hauteur. En s'écoulant, l'eau laisse sur la roche des dépôts calcaires, les travertins. Des algues aux couleurs vives poussent dans certains bassins.

EN SAVOIR PLUS

Le geyser le plus haut du monde est le *Steamboat Geyser,* dans le parc national de Yellowstone. Il peut projeter de l'eau à 115 mètres de hauteur. Le record de hauteur est détenu par le *Waimangu Geyser* en Nouvelle-Zélande qui atteignait la hauteur de 460 mètres, mais il n'est plus en activité depuis 1904.

Le geyser de l'île de Lanzarote crache de l'eau et de la vapeur avec une force énorme.

LES UTILISATIONS DE LA GÉOTHERMIE ET DE LA BIOÉNERGIE

Les geysers

Le geyser est une manifestation spectaculaire de l'énergie géothermique. C'est une source d'où jaillit, de façon intermittente, de l'eau chaude ou de la vapeur d'eau. L'eau s'infiltre dans le sol par des crevasses et, au contact des roches chaudes, se met à bouillir.
L'éruption d'un geyser se produit quand la colonne d'eau, soulevée par les vapeurs chaudes, entre en ébullition à un certain niveau. Une fois l'eau expulsée, la pression de la colonne diminue et la température ne suffit plus à permettre l'ébullition. L'eau reste liquide jusqu'à ce que soit atteint le niveau où le jaillissement se produit.

Le monde des geysers

Presque tous les geysers du monde se trouvent en Nouvelle-Zélande, en Islande, aux États-Unis et en Russie, généralement dans des zones de grande activité volcanique. En Islande, dans la région de la capitale Reykjavik, il y a plusieurs dizaines de geysers à quelques kilomètres les uns des autres.

Le mot geyser vient de Geysir, un geyser spectaculaire d'Islande. Il expulse une colonne d'eau de 60 mètres de hauteur toutes les 5 ou 36 heures. Les éruptions du geyser de Strokkur, lui aussi situé en Islande, sont beaucoup plus fréquentes puisqu'elles se produisent toutes les trois minutes, alors que le geyser de Velikan, dans la péninsule de Kamchatka, en Russie, entre en éruption toutes les trois heures.

De l'eau et de la vapeur jaillissent d'un geyser du *Norris Geyser Basin*, dans le parc national de Yellowstone, aux États-Unis. Le parc possède la plus grande concentration de geysers du monde.

Le Vieux Fidèle du parc national de Yellowstone

Ce parc, situé dans l'état du Wyoming, aux États-Unis, est le plus vieux parc national du monde. Ses paysages étonnants furent formés par des volcans qui entrèrent en éruption il y a 50 000 ans. La roche fondue est encore si proche de la surface qu'elle crée des milliers de sources chaudes, de mares de boue bouillonnante et de geysers. Le plus célèbre de ces geysers est le Vieux Fidèle (*Old Faithful*). Ce n'est pas le plus haut du monde mais, comme son nom le suggère, c'est l'un des plus prévisibles.

Des milliers de touristes visitent chaque année le parc national de Yellowstone pour voir le Vieux Fidèle en action. Ils ne sont pas déçus, car le geyser ne manque jamais d'assurer le spectacle.

Le Vieux Fidèle est au repos, mais pas pour longtemps. En profondeur, l'eau s'écoule vers le magma fondu qui va la transformer en vapeur et la propulser hors de terre, en soulevant des milliers de litres d'eau.

Le Vieux Fidèle en statistique

Le Vieux Fidèle entre en éruption toutes les 37 ou 93 minutes et s'élève jusqu'à 52 mètres. Le laps de temps précis s'écoulant entre deux éruptions dépend de la force de la dernière éruption. Après une éruption importante, il y a une longue pause.

Chaque fois que le Vieux Fidèle entre en activité, il expulse 40 000 litres d'eau dans les airs. Juste avant une éruption principale, il produit une série de petits jets de vapeur qui atteignent sept mètres de hauteur.

Les centrales géothermiques

La plupart des centrales géothermiques se trouvent en Italie, en Nouvelle-Zélande, aux États-Unis, au Japon, au Mexique et en Russie. Mais d'autres pays commencent à exploiter l'énergie géothermique. Le Salvador a été le premier pays d'Amérique Centrale à le faire et dans le Pacifique, les Philippines sont le second producteur d'énergie géothermique au monde, après les États-Unis.

L'électricité produite par la chaleur

La vapeur souterraine est parfois utilisée directement pour actionner les turbines et les générateurs électriques de la centrale, comme dans celle des Geysers aux États-Unis. Cependant, la plupart des centrales fonctionnent avec l'eau souterraine. Si cette eau est assez chaude, elle peut être transformée en vapeur simplement en réduisant la pression de l'air ambiant, ce qui fournit à la vapeur de la place pour se détendre.

À Reykjavik, en Islande, on installe des tuyaux sous une route. Ils achemineront l'eau d'une source chaude voisine. La chaleur se dégageant de ces tuyaux dans le sol permettra d'éviter la formation de verglas sur la route.

L'eau souterraine est souvent à une température inférieure à 100 °C. Elle est alors utilisée pour chauffer un second liquide qui produit de la vapeur à une température inférieure à 100 °C. Celle-ci actionne ensuite les turbines. Quand la vapeur ou l'eau chaude est passée dans la centrale, sa température est assez élevée pour chauffer des bâtiment ou des serres.

Quand l'eau souterraine est entre 100 et 175 °C, on l'utilise pour faire évaporer un second liquide dont le point d'ébullition est plus bas que celui de l'eau. La vapeur provenant de ce second liquide actionne les turbines, puis elle est retransformée en liquide qui est de nouveau utilisé.

EN SAVOIR PLUS

Aux États-Unis, il y a 45 centrales géothermiques qui produisent ensemble assez d'électricité pour subvenir aux besoins de plus de 3,5 millions de personnes et économiser 320 millions de litres de pétrole par an. Si toutes les ressources géothermiques connues du pays étaient exploitées, elles fourniraient 27 fois la quantité totale d'énergie consommée chaque année aux États-Unis.

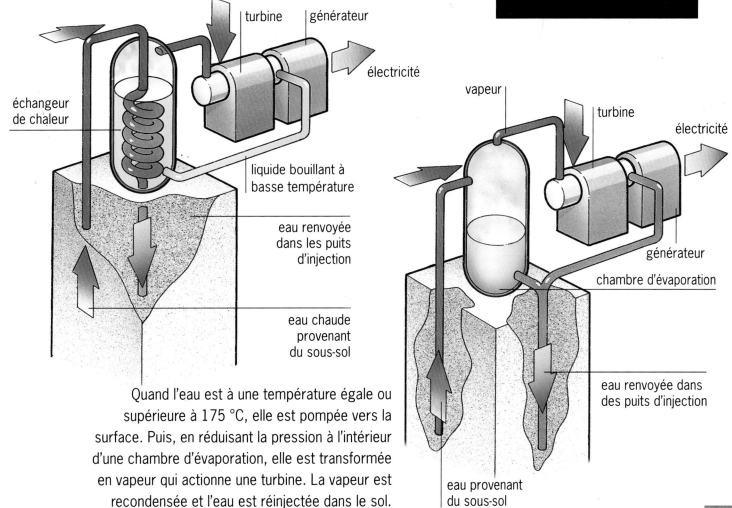

turbine | générateur

électricité

échangeur de chaleur

liquide bouillant à basse température

eau renvoyée dans les puits d'injection

eau chaude provenant du sous-sol

vapeur | turbine

électricité

générateur

chambre d'évaporation

eau renvoyée dans des puits d'injection

eau provenant du sous-sol

Quand l'eau est à une température égale ou supérieure à 175 °C, elle est pompée vers la surface. Puis, en réduisant la pression à l'intérieur d'une chambre d'évaporation, elle est transformée en vapeur qui actionne une turbine. La vapeur est recondensée et l'eau est réinjectée dans le sol.

La centrale géothermique des Geysers

De l'énergie géothermique fut produite pour la première fois aux États-Unis en 1960 dans la zone volcanique des Geysers, au nord de San Francisco. En 1967, les Geysers produisaient de l'électricité à l'échelle commerciale.

Sa production était passée de 54 à 412 mégawatts en six ans, et la centrale était devenue la plus grande installation géothermique du monde. En 1986, sa production avait atteint 1100 mégawatts, ce qui est suffisant pour subvenir aux besoins de plus d'un million de personnes. En 1994, elle a produit 4,5 millions de mégawattheures d'électricité. À pleine puissance, elle peut produire presque toute l'électricité dont a besoin San Francisco.

Des nuages de vapeur s'échappent de la centrale géothermique des Geysers située entre le comté des Lacs et celui de Sonoma en Californie. La centrale fournit de l'électricité aux habitants du nord et du centre de la Californie.

Les puits de vapeur sèche

La centrale des Geysers a la chance de pouvoir utiliser directement la vapeur provenant du sol pour faire tourner ses turbines et ses générateurs. La vapeur est issue de 246 puits de production et circule dans 88 km de tuyaux.

Après être passée dans la centrale, la vapeur est réinjectée dans le sol par 14 puits d'injection. Le plus profond des puits des Geysers atteint presque 4 km de profondeur et la moyenne est de 2,4 km.

Sur le site des Geysers, des émanations de vapeur, appelées fumerolles, proviennent de cavités souterraines et jaillissent sans cesse par des fissures dans le sol.

Ci-dessus, pour localiser les roches chaudes souterraines, on effectue des forages et on envoie des sondes pour mesurer la température.

Les biocombustibles modernes

La biomasse peut être convertie en combustibles liquides ou gazeux. En se décomposant, les déchets des décharges produisent un gaz, mélange de méthane et de dioxyde de carbone qui peut être utilisé comme combustible.

Une décharge commence à produire du gaz au bout de trois ans, sur plusieurs années. Les déchets organiques sont séparés des autres déchets et placés dans des réservoirs, appelés digesteurs anaérobies, où ils se décomposent plus rapidement.

Les moteurs à turbine fonctionnant au bois

Le bois peut produire des gaz pour alimenter un moteur à turbine. Si le bois est chauffé en présence d'une faible quantité d'oxygène, il produit de l'hydrogène, du méthane, de l'éthylène, de l'oxyde de carbone et du dioxyde de carbone. Ces gaz sont purifiés, puis brûlés dans un moteur équipé d'une turbine à gaz.
Les gaz d'échappement chauds du moteur passent ensuite dans une chaudière qui chauffe l'eau. La vapeur actionne alors une turbine. Les turbines à gaz et les turbines à vapeur entraînent des générateurs électriques.

Au Brésil, le plein de cette voiture est fait avec un combustible à base d'alcool issu de la biomasse. L'alcool est produit à partir de manioc et de sucre de canne. En présence de peu d'oxygène, les sucres extraits de ces plantes sont dissous par des levures et fournissent de l'énergie.

À partir du bois, on peut fabriquer un combustible à base d'alcool appelé alcool méthylique ou méthanol. On chauffe le bois afin de libérer des gaz dans un réservoir appelé gazogène. Ces gaz subissent ensuite une série de réactions chimiques à haute température. Le gaz produit est compressé et distillé pour obtenir un liquide, le méthanol.

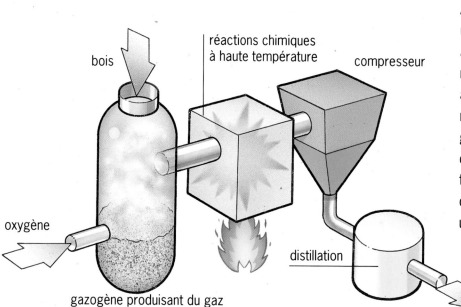

bois

réactions chimiques à haute température

compresseur

oxygène

distillation

gazogène produisant du gaz

méthanol

Certaines plantes, comme ces tournesols espagnols, contiennent de l'huile qui peut être extraite et utilisée comme combustible pour alimenter des machines ou produire de l'électricité. Chaque plante contient une très petite quantité d'huile, mais une importante récolte de plusieurs milliers de plantes permet d'obtenir suffisamment d'huile pour fournir du combustible.

41

L'AVENIR DE LA GÉOTHERMIE ET DE LA BIOÉNERGIE

L'avenir de l'énergie géothermique

Plusieurs pays africains, le Kenya et Djibouti par exemple, actuellement dépendants de l'énergie et du combustible qu'ils importent à prix élevé, aimeraient produire leur propre énergie géothermique afin de réduire le coût de ces importations. D'autre part, les pays industrialisés de l'hémisphère nord poursuivent le développement de leurs ressources géothermiques. Ainsi, à la fin du XXIe siècle, les États-Unis pourraient produire environ un tiers de leur électricité avec leurs centrales géothermiques.

Les centrales géothermiques, telles que celle-ci, située à Ohaaki en Nouvelle-Zélande, deviendront peut-être dans le futur des éléments familiers.

L'énergie de geysers

Tout comme un moteur de voiture à essence produit une énergie continue à partir d'une série d'explosions, il serait possible de produire un courant continu d'énergie à partir d'un ou de plusieurs geysers. Des geysers artificiels seraient créés à cet effet en injectant de l'eau dans des trous forés dans de la roche chaude. Ces geysers artificiels pourraient être utilisés comme des générateurs de vapeur qui feraient tourner des turbines.

Des baigneurs se plongent dans des mares de boue chaude à Vulcano, l'une des îles Éoliennes, au large de la Sicile (Italie). Ces bains de boue chaude soulagent les douleurs musculaires et sont de plus en plus souvent prescrits par les médecins.

L'avenir de la bioénergie

Les combustibles fabriqués avec l'alcool tiré de plantes prendront de plus en plus d'importance, en particulier dans les pays pauvres qui n'ont pas les moyens d'importer toute l'énergie dont ils ont besoin. En effet, l'énergie géothermique réduit les importations d'énergie d'un pays et les biocombustibles peuvent être vendus à l'étranger.

Le Kenya développe son industrie sucrière pour produire du combustible. Le miscanthus, une herbe géante à croissance rapide originaire d'Extrême-Orient, sera peut-être la matière première du biocombustible du futur. Sa conversion en énergie par hectare donne de meilleurs résultats que celle des autres plantes. On pourrait trouver dans les stations-services du futur des pompes de méthanol ou de biogaz à côté des traditionnelles pompes à essence.

La bioénergie de la mer

La plus grande partie de la Terre est recouverte d'eau. Les algues poussent sur les hauts-fonds qui bordent les continents. Elles représentent une importante source d'énergie. À l'avenir, elles pourraient être cultivées et transformées en combustible.

Au cours d'une expérience qui se déroula en Californie, on fit pousser des algues brunes sur un vaste réseau de câbles tendus dans la mer. Puis, on les récolta et on les traita pour produire du gaz méthane, de la nourriture pour animaux et divers produits chimiques.

Au siècle prochain, une grande partie de nos besoins sera comblée par les plantes. Des digesteurs individuels transformeront les déchets domestiques et agricoles en gaz qui sera utilisé pour le chauffage et la production d'électricité. Des plantes seront cultivées pour être directement brûlées ou transformées en combustible.

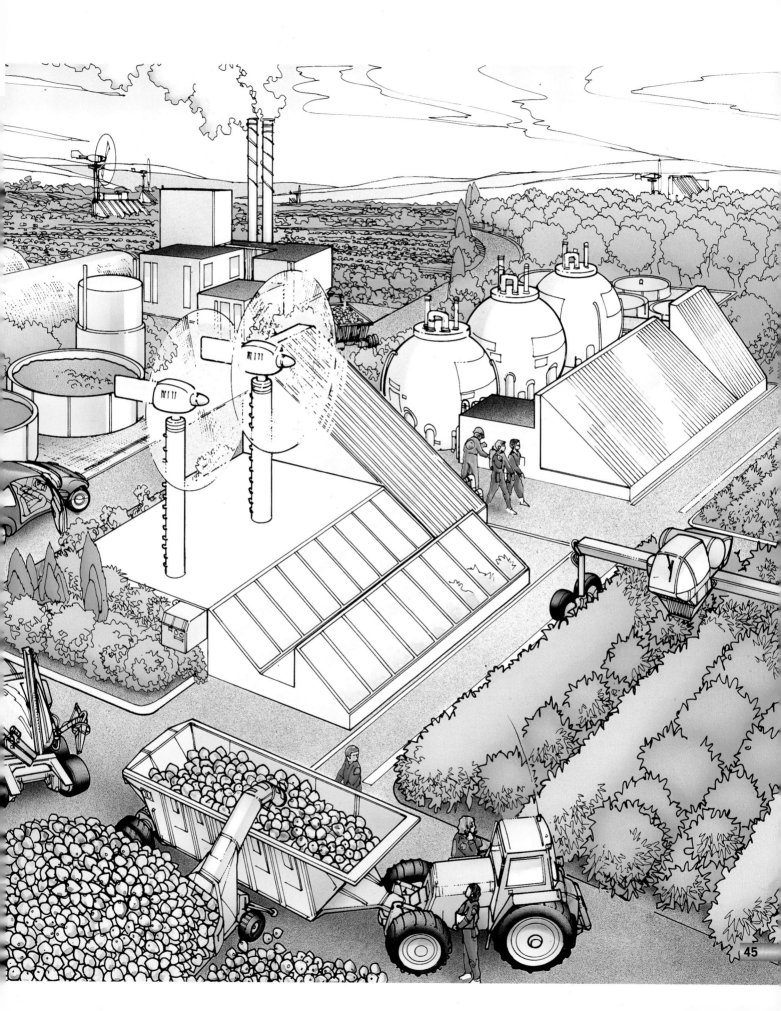

GLOSSAIRE

alcool : liquide incolore qui brûle facilement et peut donc être utilisé comme combustible.

bactérie : organisme unicellulaire microscopique.

biocombustible : combustible biologique produit à partir de plantes ou de déchets animaux.

biogaz : mélange de méthane et de dioxyde de carbone obtenu en laissant des bactéries digérer des déchets animaux.

carbone : élément chimique présent dans tous les êtres vivants.

centrale électrique : bâtiment dans lequel l'énergie produite par un combustible est transformée en électricité.

combustible : matière qui peut être brûlée pour libérer l'énergie qu'elle a emmagasinée afin de chauffer, produire de l'électricité ou alimenter des machines.

combustible fossile : combustible tel que le charbon, le pétrole ou le gaz naturel formé par les restes de plantes et d'animaux microscopiques qui vivaient il y a des millions d'années.

distillation : processus de purification d'une substance qui consiste à la chauffer pour la faire évaporer, puis à la refroidir pour la transformer à nouveau en liquide.

effet de serre : phénomène de réchauffement dû à l'action de l'atmosphère qui laisse passer les rayons solaires jusqu'à la Terre, mais qui retient d'autres radiations venues de cette dernière.

énergie : capacité à produire un travail.

environnement : la nature qui nous entoure.

éthanol : type d'alcool, également appelé alcool éthylique.

fermentation : transformation de la biomasse sous l'action d'organismes microscopiques tels que les levures. La bière et le pain sont obtenus par fermentation.

gaz de serre : tous les gaz, tels que le dioxyde de carbone, qui retiennent la chaleur solaire et contribuent ainsi au réchauffement de la planète.

gaz naturel : gaz que l'on trouve dans la nature, généralement dans des poches souterraines situées en profondeur, souvent avec du pétrole brut.

générateur : appareil conçu pour transformer une énergie quelconque (mouvement, vapeur…) en électricité.

joule : unité d'énergie.

levure : champignon microscopique unicellulaire employé dans la fermentation.

mégawatt : unité de puissance électrique égale à un million de watts.

méthane : gaz inflammable présent dans le gaz naturel, également appelé « gaz des marais », car il s'échappe des marais stagnants en formant des bulles.

méthanol : type d'alcool, également appelé alcool méthylique.

pétrole brut : pétrole naturel, tel qu'il est en sortant de terre, avant d'être raffiné.

pollution de l'air : présence dans l'air de gaz ou de particules indésirables ou nuisibles.

réchauffement de la planète : réchauffement de l'atmosphère de la Terre par des gaz tels que le dioxyde de carbone - produit pour la plus grande partie par la combustion des combustibles fossiles - qui retiennent la chaleur solaire.

turbine : aubes fixées à un axe qui peut tourner. Un gaz ou un liquide passant dans la turbine fait pression sur les aubes et fait tourner la turbine.

vapeur : gaz produit par l'ébullition et l'évaporation d'un liquide.

watt : unité de puissance électrique équivalente à un joule d'énergie converti en une autre forme d'énergie en une seconde.

wattheure : unité d'énergie égale à un joule d'énergie converti en une autre forme d'énergie chaque seconde pendant une heure. Une ampoule de 100 watts brûlant pendant une heure consomme 100 wattheures d'énergie.

POUR EN SAVOIR PLUS

Livres à lire

L'énergie,
Nigel Hawkes, Jean-Noël Chatain,
coll. Technologie du futur,
Gamma.

Les ressources futures,
C. Twist et M. de Visscher,
coll. Le monde qui nous entoure,
Gamma.

Puissance et consommation d'énergie

La puissance est la quantité de travail fournie par unité de temps, ou la quantité d'énergie transférée par seconde. Elle se mesure en joules par seconde (J/s), ou watts (W). Un fer à repasser électrique a besoin de 1000 watts pour fonctionner, alors qu'une radio portable ne consomme que de 10 watts. L'énergie nécessaire pour faire fonctionner une radio pendant une heure ne ferait fonctionner le fer que pendant six minutes parce que le fer consomme l'énergie dix fois plus vite que la radio. L'illustration de droite compare la production d'une centrale électrique avec les besoins en consommation d'une maison d'habitation, puis d'appareils ménagers.

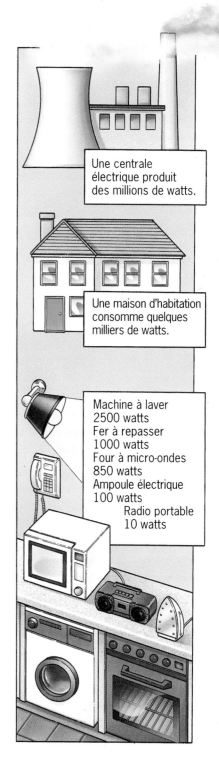

Une centrale électrique produit des millions de watts.

Une maison d'habitation consomme quelques milliers de watts.

Machine à laver
2500 watts
Fer à repasser
1000 watts
Four à micro-ondes
850 watts
Ampoule électrique
100 watts
Radio portable
10 watts

INDEX